A: Chase de
déc 2016
D0069142
Chers amis rong
bienvenue dans le monde de
Geronimo Stilton

L'Écho du rongeur
Rédaction

Geronimo Stilton

Téa Stilton

Benjamin Stilton

Traquenard Stilton

Patty Spring

Pandora Woz

Texte de Geronimo Stilton.
*Basé sur une idée originale d'*Elisabetta Dami.
*Coordination des textes d'*Isabella Salmoirago.
Coordination éditoriale de Patrizia Puricelli.
*Édition d'*Alessandra Rossi.
Coordination artistique de Roberta Bianchi.
Assistance artistique de Lara Martinelli *et de* Tommaso Valsecchi.
Couverture de Giuseppe Ferrario.
Illustrations intérieures de WASABI ! Studio *(graphisme) et de* Christian Aliprandi *(couleurs).*
Cartes : Archives Piemme.
Graphisme de Merenguita Gingermouse *et de* Yuko Egusa.
Traduction de Titi Plumederat.

Un grand merci à : I SENTIERI DEL VENTO, Piazza Santa Maria Beltrade, 2 – 20123 Milan.
Merci aussi à David et à Giancarlo : avec eux, tous les voyages deviennent possibles.

www.geronimostilton.com

Pour l'édition originale :
© 2008, Edizioni Piemme S.p.A. – Via Tiziano, 32 – 20145 Milan, Italie
www.edizpiemme.it – info@edizpiemme.it – sous le titre *Il segreto del lago scomparso.*
International rights © Atlantyca S.p.A. – Via Leopardi, 8 – 20123 Milan, Italie – www.atlantyca.com – contact : foreignrights@atlantyca.it
Une première édition gratuite non commercialisée de ce titre est parue en juin 2009 et a été distribuée dans les points de vente participant à une opération promotionnelle Geronimo Stilton.
Pour l'édition française :
© 2009 et 2011, Albin Michel Jeunesse – 22, rue Huyghens, 75014 Paris
www.albin-michel.fr
Loi 49-956 du 16 juillet 1949 sur les publications destinées à la jeunesse
Dépôt légal : premier semestre 2011
N° d'édition : 18471
ISBN-13 : 978 2 226 19352 0
Imprimé en France par Pollina s.a. L55232B

Geronimo Stilton

LE SECRET DU LAC DISPARU

ALBIN MICHEL JEUNESSE

C'ÉTAIT UNE DOUCE MATINÉE DE PRINTEMPS...

C'était une douce matinée de **Printemps**. Dehors, les ARBRES avaient mis leurs nouvelles feuilles, les oiseaux chantaient sur les branches et la brise était chargée du parfum des fleurs...

Pourtant, je restai enfermé dans mon bureau, à *l'Écho du rongeur.*

Oh, excusez-moi, je ne me suis pas présenté : mon nom est Stilton, *Geronimo Stilton* !

Je dirige *l'Écho du rongeur*, le plus célèbre journal de l'Île des Souris !

Je suis toujours très occupé : sur mon bureau, j'ai toujours une pile de **1 000** contrats à signer, de

1 000 factures à régler, de **1 000** comptes à vérifier, de **1 000** lettres à lire et...
Oh, excusez-moi, je me re-présente, parce que je viens de m'apercevoir que, la première fois, on ne voyait que mes MOUSTACHES.
Je disais donc que mon nom est Stilton, *Geronimo Stilton* !
Oui, c'est bien moi, avec mon pelage et mes moustaches !

Je disais donc que j'étais en train de travailler quand le téléphone sonna.

DRINNNNNNNNNNNNNNNNNNG !!!

DRINNNNNNNNNNNNNNNNNNG !!!

Je répondis :

– Allô, ici Stilton, *Geronimo Stilton* !

Une douce voix s'exclama :

– Salut, Geronimo, comment vas-tu ?

Je devins **rouge comme une tomate**.

Je balbutiai :

– Euh, salut Geronimo, c'est Patty, *enfin,* salut Patty, c'est Geronimo, je suis entendu de t'être content, *enfin,* je suis content de t'entendre, je voulais te restaurer à une invitation, *enfin,* je voulais t'inviter au restaurant…

J'étais tellement embarrassé que je m'en arrachai un poil de moustache.

POURQUOI SUIS-JE SI TIMIDE ?

POURQUOI POURQUOI POURQUOI ?

J'essayai de me reprendre et de paraître désinvolte :
– Je suis content de t'entendre, Patty. Pourrais-je t'inviter au restaurant, ce soir ?
Je pensais à un petit restaurant sur le port, *Aux chandelles*, juste à côté de la jetée, avec vue sur la mer... Plus *romantique*, tu meurs !
Là-bas, peut-être arriverais-je à rassembler tout mon courage pour lui demander de devenir ma fiancée.
Je dis *peut-être,* parce que je suis un gars, *ou plutôt un rat,* trèèèès timide.

Patty a une foule d'admirateurs : c'est une journaliste *archi*-charmante, *archi*-brillante, *archi*-intelligente et *archi*-célèbre, qui s'est lancée dans une croisade pour la défense de la nature.

Elle répondit aimablement :

– Merci pour l'invitation, Geronimo, mais je ne t'appelais pas pour ça.

MON MORAL TOMBA À ZÉRO.

Elle poursuivit :

– Cet après-midi, à quatre heures, a lieu l'inauguration d'un magasin vraiment très spécial qu'ont ouvert de bons amis à moi. Je voudrais y aller avec toi parce que... toi aussi, tu es spécial.

Je devins rouge comme un poivron.

MON MORAL REMONTA D'UN COUP.

J'avais le cœur qui battait très très très fort quand je répondis :

– Alors, je prends te passe, *enfin,* je passe te prendre, à pile heures quatre, *enfin,* à quatre heures pile, enfin bref salut !

Et maintenant j'étais rouge… comme une écrevisse.

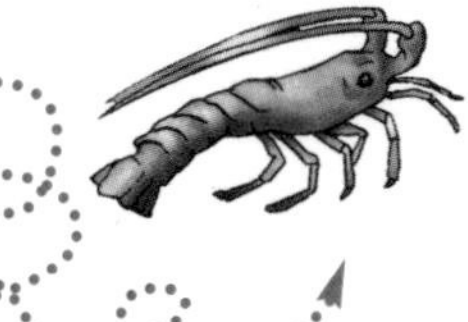

Je raccrochai, tout ému.

J'avais bien entendu ?

Elle avait vraiment dit que j'étais spécial ?

Je me dis que le moment était *peut-être* arrivé…

Peut-être lui ferais-je ma déclaration cet après-midi.

COMME UNE MORUE SUR LES MACARONIS

À quatre heures pile, j'étais devant chez Patty. Je me trouvais très séduisant dans ma chemise blanche, ma veste noire et mon nœud papillon noir…

J'avais mis mon smoking le plus *élégant,* parce que je croyais que nous allions assister à la très *élégante inauguration* d'une *élégante* galerie d'art ou de quelque chose dans le genre… Et je tenais à faire bonne figure avec Patty.

Mais qu'est-ce que cette veste était INCONFORTABLE !

Et qu'est-ce que ce nœud papillon m'étranglait !

Et qu'est-ce que j'étais **ému** !

Quand Patty me vit, elle écarquilla les yeux, stu-

péfaite, et il me sembla qu'elle était sur le point de me dire quelque chose, mais elle se tut. *Peut-être* l'avais-je IMPRESSIONNÉE !
Elle, pourtant, n'était pas élégante... BIZARRE !
Elle portait un jean délavé, un tee-shirt et un gilet de cuir à FRANGES. Elle avait natté ses longs cheveux blonds et avait noué, autour de son front, un lacet de cuir sur lequel elle avait enfilé des PETITES PERLES multicolores.
Elle était trop mignonne !

Au cou, elle portait un COLLIER d'argent et de turquoises.
Elle ne pouvait pas être habillée plus différemment de moi !
J'étais gêné, tout cela était vraiment bizarre !
Bizarre bizarre bizarre !
Nous montâmes en voiture et nous traversâmes Sourisia jusqu'à un magasin signalé par une simple ENSEIGNE de bois. Il n'était pas facile de le trouver, on aurait dit qu'il se cachait au milieu des autres boutiques qui vendaient des vêtements, de la nourriture ou des appareils électroniques. Le magasin venait d'ouvrir, mais il avait l'air très **VIEUX**, comme s'il avait toujours été là.
Je poussai la porte et écarquillai les yeux.
Bizarre !
Bizarre bizarre bizarre !

Elle est belle !
Tu me l'achètes ?

À l'intérieur étaient exposés des objets artisanaux des NATIFS AMÉRICAINS* : des coiffures en plumes d'aigle, des mocassins de cuir, des vêtements en peau, des colliers de turquoises...
En entrant, je fus enveloppé par une chaude odeur de bois, de cuir et d'Herbes aromatiques, tandis que des tambours indiens résonnaient au rythme des battements du cœur.

Le magasin était bondé, plein de rongeurs habillés comme Patty !

J'ÉTAIS ROUGE COMME UN FEU AU CARREFOUR : j'étais le seul en smoking et je détonnais terriblement. J'avais l'air bizarre…

Bizarre !

Bizarre !

Bizarre !

Bizarre !

Bizarre !

J'entendis les autres murmurer :

– Qui c'est, celui-là, qui arrive comme une morue sur les macaronis…

– Pourquoi a-t-il un smoking ?

– Il a vraiment l'air d'un nigaud…

* **Natifs américains :** *les populations qui habitaient l'Amérique du Nord avant l'arrivée des colons européens.*

Hau, kola ! Salut, ami !

Heureusement, une voix paisible dit dans mon dos :

– Cette veste ne doit pas être très CONFORTABLE...

C'était le propriétaire du magasin, un rongeur à l'épais **pelage** gris, qui s'appelait Ourson.

Sa femme, Lueur, une rongeuse aux longues tresses noires, ajouta :

– Et ce nœud papillon non plus ne doit pas être très CONFORTABLE.

Leur petit Éclat, un souriceau aux **yeux** noirs brillants comme des mûres, me salua en langue lakota :

– **Hau, kola !** Salut, ami !

Puis il me fit un clin d'œil et me dit, d'un air rusé :
– Tu n'as pas l'air d'être très à l'aise !
Je souris :
– En effet…
Le rongeur au pelage gris ajouta, prévenant :
– Si tu veux, nous pouvons te prêter des vêtements plus… CONFORTABLES ! Et plus… adaptés !
Il m'accompagna dans un salon d'essayage où il avait préparé pour moi de splendides habits de style INDIEN : pantalon de peau, veste de cuir à franges et mocassins sur lesquels étaient brodées de petites perles. Je les enfilai en un clin d'œil, puis je mis autour de mon cou un PENDENTIF en coquillage et je me regardai dans le miroir.

Comme j'étais changé !
On aurait dit un autre rongeur.
Patty arriva juste à ce moment :
– Je voulais te présenter mes amis, mais je vois que vous avez déjà fait **connaissance**...
Puis elle m'embrassa, enthousiaste :
– Ces vêtements te vont à ravir, Geronimo !

Je rougis.

– Tu le penses vraiment ?

Elle posa sur mon front un bandeau orné de petites perles, et y glissa une *plume* de faucon. Puis elle se mit elle aussi une plume dans les cheveux.

– Maintenant, nous sommes habillés pareil ! C'est comme si nous appartenions à la même tribu, au PEUPLE LAKOTA*...

Puis Patty me prit par la main et me présenta plein de nouveaux amis très sympathiques.

À partir de ce moment, je m'amusai beaucoup.

J'étais heureux.

Très heureux.

Très très très heureux.

* *Découvre qui sont les Lakotas page 29.*

QUEL EST TON ANIMAL TOTEM ?

Patty me prit par le bras et me fit faire le tour du magasin.

– Les Lakotas considéraient les ANIMAUX comme des frères, ils aimaient et respectaient la nature. Comme nous deux, Geronimo…

Elle soupira, puis poursuivit :

– Toi et moi, Geronimo, nous avons beaucoup de choses en COMMUN.

Je devins écarlate : *peut-être* était-ce le moment idéal pour me déclarer. Je pris ma respiration, je voulus parler, mais Patty poursuivit avec enthousiasme.

– … les animaux étaient si **IMPORTANTS** pour les Lakotas que chacun d'entre eux choisissait un animal totem qui le protégeait et lui servait de guide dans l'existence.

Puis elle me regarda dans les yeux et demanda :

– Quel est ton ANIMAL TOTEM, Geronimo ?

Comme je ne savais pas quoi choisir, elle m'offrit un LIVRE magnifique sur les natifs américains.

Je le feuilletai avec elle, mon cœur battait très fort…

J'appris plein de choses sur l'histoire et la culture des Lakotas, et je compris que le LOUP était mon animal totem.

Voici ce qui était écrit…

COMMENT CHOISIR TON ANIMAL GUIDE

TOTEM

Le totem peut être le symbole d'une tribu, d'un clan ou d'une personne. Il s'agit de l'esprit guide dans lequel un individu se reconnaît et qui l'accompagnera toute sa vie durant, en lui donnant sa force. Souvent, le totem est un animal.

DÉCOUVRE QUEL EST TON ANIMAL PROTECTEUR !

Y a-t-il un animal dont tu aimes les caractéristiques et dont tu te sentes proche ? Lis… et choisis !

■ ■ ■

AIGLE : c'est le messager du Grand Esprit, il apporte les prières des hommes et revient avec des réponses, des conseils et des visions. Celui qui a l'aigle comme totem saura voir avec une plus grande acuité et devra utiliser cette sagesse pour le bien de tous.

BISON : c'est le cadeau que le Grand Esprit a fait aux hommes. Il apporte l'abondance et la guérison. Il nous apprend que la nature nous offre avec générosité tout ce dont nous avons besoin, si nous savons la respecter et l'accepter avec reconnaissance.

CASTOR : persévérant et patient, le castor sait recréer le monde autour de lui, selon ses exigences. Celui qui a le castor comme animal totem saura bâtir le monde de ses rêves.

CHEVAL : il représente l'énergie du Grand Esprit. Symbole de liberté et de force, cet animal apporte l'assurance dans l'action.

LOUP : c'est un animal indépendant, mais fidèle et protecteur envers sa bande. Le loup nous apprend à trouver le bon équilibre entre nous-mêmes et les autres.

OURS : il a toujours joué un rôle important dans toutes les cérémonies sacrées. Il donne la force et la connaissance de soi-même.

ARAIGNÉE : elle tisse la toile du monde. Elle nous apprend à être créateurs et à dessiner la trame (c'est-à-dire les itinéraires) de notre vie.

GRENOUILLE : c'est l'esprit gardien de l'Eau. Elle représente la purification des émotions : ses chants apportent la paix et la sérénité.

TORTUE : c'est le symbole de la Terre. Elle nous apprend à la respecter chaque jour, dans tous les gestes que nous effectuons. Elle nous dit que nous devons aimer la vie et les merveilles du monde.

QUI ÉTAIENT LES INDIENS D'AMÉRIQUE ?

En 1500, les territoires s'étendant sur les actuels Canada et États-Unis étaient habités par plus de 300 tribus qui parlaient quelque 200 langues. C'étaient les natifs américains, encore appelés les « peaux rouges », à cause de l'habitude qu'ils avaient de se peindre le visage de diverses couleurs. Ils vivaient de chasse, de cueillette, d'agriculture ou de pêche, exploitant au mieux les ressources naturelles du territoire.

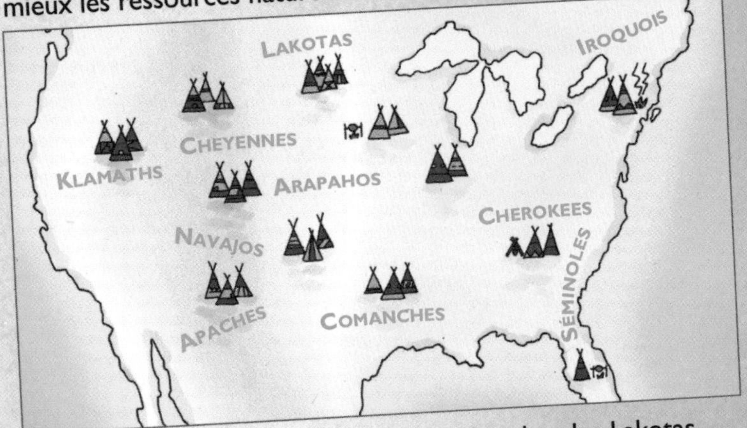

Les plus connues des tribus étaient les Apaches, les Lakotas, les Navajos, les Cheyennes et les Mohicans.
Chaque tribu était formée par des familles « élargies » et par des clans, où tout le monde vivait ensemble, comme dans une seule et unique communauté, en s'entraidant.

QUI ÉTAIENT LES LAKOTAS ?

Les Lakotas, encore appelés *Sioux* par leurs ennemis, habitaient la région des **Grandes Plaines de l'Amérique du Nord**.
Le peuple lakota est formé de sept tribus, dites « les sept feux » : Oglala, Brûlés, Sans Arc, Hunkpapa, Miniconjou, Pieds-Noirs et Two Kettles.

C'étaient **des chasseurs nomades** : leur vie dépendait de la chasse au **bison**. Ils vivaient dans le traditionnel **tipi** : une tente de forme conique dont les armatures de bois étaient recouvertes de peaux de bison.
Ce sont **les femmes de la tribu** qui montaient et démontaient les tipis. Mais elles s'occupaient aussi d'autres travaux : elles tannaient les peaux, préparaient les repas, confectionnaient les vêtements et élevaient les enfants. Les hommes, eux, allaient à la chasse et défendaient la tribu des ennemis.

À partir du milieu du XIXe siècle, au moment où commença la conquête de l'Ouest, les Lakotas défendirent vigoureusement leurs terres : **Taureau Assis**, **Cheval Fou**, **Nuage Rouge** et **Élan Noir** furent de grands chefs et luttèrent pour la liberté de leur peuple.
Hélas, les épisodes tragiques ne manquent pas dans l'histoire des rapports entre les Indiens et les Blancs, tels l'assassinat de Taureau Assis et le massacre de Wounded Knee.

MAIS POURQUOI SUIS-JE AUSSI EMPOTÉ ?

Ç'avait été très romantique de lire ces pages avec elle, avec, en arrière-plan, une très douce musique de flûte…

Je me dis, une fois encore, que c'était *peut-être* le moment idéal pour me déclarer. J'allais lui dire quelque chose quand elle me tendit un objet bizarre : un cadre de bois rond, décoré avec des plumes et de petites perles, sur lequel était tendu un filet très fin. Elle dit en souriant :

– C'est un **capteur de rêves**. D'après les Lakotas, il piège les mauvais rêves et laisse passer les bons. C'est pour toi, Geronimo, en souhaitant

que tous tes plus beaux vœux puissent se réaliser !
C'était vraiment le moment idéal pour me déclarer. Je pensai : « C'est maintenant ou jamais ! »
Je respirai à fond, pris mon courage à deux pattes et dis :
– Euh, Patty, j'ai quelque chose à te dire…
Mais, à ce moment précis, des roulements de tambour résonnèrent très fort. Le volume était au maximum et elle ne comprit pas :
– Je n'entends rien !
Je répétai d'une voix plus forte :
– J'ai quelque chose à te dire !
– Je n'entends rien !
Je criai :
– J'ai quelque chose à te dire !
Elle répéta :
– Je n'entends rien !
Je hurlai :

– J'AI QUELQUE CHOSE À TE DIRE !
– J'AI QUELQUE CHOSE À TE DIRE !
– J'AI QUELQUE CHOSE À TE DIRE !

Mais, à ce moment précis, la musique s'INTER-ROMPIT, parce que le CD était terminé.
Mon cri retentit dans le silence.
Tout le monde me regarda en murmurant :
– Va savoir pourquoi ce nigaud qui, tout à l'heure, se promenait en smoking, se met maintenant à hurler à tue-tête !
Patty répliqua, stupéfaite :
– C'est bon, je ne suis pas sourde, Geronimo ! Qu'as-tu à me dire ?

Je balbutiai la première stupidité qui me vint à l'esprit :

– Euh… eh bien… enfin… je… voulais seulement te dire que, aujourd'hui, c'est une BELLE JOURNÉE !

Puis je me sauvai en courant et j'allai m'enfermer aux toilettes, où j'en pleurai de rage.

Pourquoi, pourquoi, pourquoi suis-je aussi empoté ?

Quelle honte !

QUEL CHOC !

Je rentrai chez moi, le moral à zéro, et c'est alors seulement que je m'aperçus que j'avais gardé le costume indien : j'irais le rendre le lendemain.
Je me consolai en pensant que Patty avait été très gentille : peut-être me restait-il un petit espoir...
Je décidai d'accrocher au mur de ma chambre le capteur de rêves que Patty m'avait offert. Je montai sur un tabouret, plantai un clou dans le mur à l'aide d'un MARTEAU... mais soudain je glissai. Je gigotai en l'air en battant des pattes, comme si j'avais exécuté une bizarre danse indienne, puis mon museau s'écrasa sur le sol. Quel choc !

1
2
3
4
5
6

UN VOILE
NOIR
DESCENDIT
DEVANT
MES YEUX...

ET JE FIS
UN SOMME QUI
ME PARUT
INTERMINABLE.

Souris-Au-Cœur-Gentil…

Je fus réveillé par quelqu'un qui m'appelait. Un visage RIDÉ, au regard SAGE, était penché sur moi.

– Souris-Au-Cœur-Gentil, comment vas-tu ?

Je m'assis d'un bond.

– Q-qu'est-ce que c'est ? O-où suis-je ?

C'est un vieux rongeur qui m'avait réveillé.

Il portait un pantalon de cuir, des mocassins et une chemise en peau de cerf, sur laquelle était brodé le dessin d'un bison en petites perles de couleur.

De sa coiffure sortaient des cornes de bison et pendait une queue d'hermine blanche à la pointe noire.

Il portait une foule d'amulettes autour du cou : coquillages, pendentifs en petites perles qui représentaient des symboles sacrés et même une plume d'aigle.

Le vieillard agita un GRELOT.

– Moi, Bison-Qui-Souffle, avec ce grelot, je chasse les Esprits qui causent ta maladie !

Il frappa sur un TAMBOUR rond :

– Avec ce tambour, j'appelle les Esprits qui t'aideront à guérir !

Il prit une branche de SAUGE, la fit brûler en l'agitant :

– Avec cette herbe sacrée, je purifie ce lieu !

Il me fit boire une infusion d'herbes :

– Tu t'es cogné la tête. Mais, avec ces herbes, tu vas guérir !

Le médicament me fit beaucoup de bien. Enfin, ma tête ne tournait plus. Je regardai autour de moi…

J'étais dans un TIPI*.

Au centre de la tente brûlait un FEU, au-dessus duquel était suspendu un sac en peau d'animal où bouillait de l'eau.

J'étais étendu sur une couche en peau de bison et, par l'entrée de la tente ouverte en direction de l'est, je voyais se lever le SOLEIL.

Je remarquai que tout paraissait disposé selon un ordre bien précis : dans la partie **NORD** de la tente, je vis un ARC et un carquois plein de flèches, un bouclier sur lequel étaient accrochées des plumes d'aigle, une massue arrondie à son extrémité et une précieuse coiffe de cérémonie ornée d'innombrables plumes d'aigle.

À qui pouvaient-ils bien appartenir ?

* ***Tipi*** *: c'était la tente dans laquelle habitaient les Indiens des Plaines.*

La partie **SUD**, elle, était entièrement consacrée à la nourriture et à la cuisine : c'est là qu'étaient entreposés le bois pour le feu, les ustensiles de cuisine et les provisions. C'était une nourriture simple, comme du riz sauvage, de la viande séchée, des fruits des bois séchés, conservés dans des paniers d'osier et des sacs de tissu.
Le côté **OUEST** du tipi, où je me trouvais, était réservé au sommeil : sur un dossier en bois de saule étaient accrochés des manteaux de fourrure et des habits en peau.

À qui pouvaient-ils bien appartenir ?

Plus loin, je remarquai une boîte de cuir pleine d'amulettes, de colliers et de pierres colorées.

À qui pouvaient-ils bien appartenir ?

C'est alors qu'entra dans la tente une rongeuse au visage doux mais décidé, avec des yeux sombres, **PROFONDS** et *intelligents*. Elle portait une tunique de peau, brodée, dans le dos, avec des petites perles jaune et rose. Elle portait des jambières de cuir et des mocassins brodés avec des piquants de porc-épic.

Elle se précipita vers moi :

– Enfin, te voilà réveillé, mon frère !

Saperlipopette... tous ces objets étaient à moi !

Mais alors, qui étais-je ?

PLAN INTÉRIEUR DU TIPI

Au Nord se trouvaient les armes et les objets de cérémonie. Dans la partie Sud, on conservait les provisions, les ustensiles de cuisine et le bois à brûler. L'entrée de la tente, à l'Est, était tournée vers le soleil levant. À l'Ouest se trouvait la couche sur laquelle on dormait.

TU NE TE SOUVIENS VRAIMENT PAS DE NOUS ?

La rongeuse me demanda, **prévenante** :
– Comment te sens-tu, Souris-Au-Cœur-Gentil ?
– Je me sens mieux, mais… où suis-je ?
Elle parut surprise.
– Tu es dans ton *tipi,* dans ta tente !
Je demandai, hésitant :
– Et… toi, qui es-tu ?
Elle se tourna vers Bison-Qui-Souffle, et ils échangèrent un regard inquiet, puis il expliqua calmement :
– Ton nom est Souris-Au-Cœur-Gentil. Tu es le chef d'une tribu LAKOTA. Je suis Bison-Qui-Souffle, le *Wichasha Wakan**, Celui-Qui-

LUEUR-ROSE-DE-L'AUBE

Connaît-Les-Choses-Sacrées. Et voici Lueur-Rose-De-L'Aube, ta sœur.
Elle était triste.

– Tu ne te souviens vraiment pas de moi ?

Une foule d'autres rongeurs entra dans la tente. Ils m'entourèrent, pleins de sollicitude.
– Tu ne te souviens vraiment pas de nous ? Pourtant, nous sommes ta tribu ! Nous sommes une *tiospaye*, c'est-à-dire une grande FAMILLE !
J'aurais voulu dire que je ne me souvenais absolument **PAS** d'eux, que je ne comprenais **PAS** pourquoi je me trouvais dans un tipi au lieu d'être chez moi, que je n'étais **PAS** un chef indien mais le directeur de *l'Écho du rongeur*, que je ne vivais **PAS** dans les Grandes Plaines, mais dans l'Île des Souris et, surtout, que je ne m'appelais **PAS** Souris-Au-Cœur-Gentil, mais Stilton, *Geronimo Stilton* !

* **Wichasha Wakan** : *un chaman capable de guérir les maladies par des cérémonies sacrées.*

Mais ils avaient l'air si triste que je ne voulus pas les décevoir.
Je conclus donc :
– Euh, je ne me souviens pas exactement de **TOUT**, enfin je me souviens de **TRÈS PEU DE CHOSE**, de presque **rien**, même, mais… Bref, si vous êtes patients, que vous me laissez du temps et que vous m'aidez, je ferai de mon mieux pour être un bon chef, au service de mon peuple.
Ravis, ils m'embrassèrent :
– Souris-Au-Cœur-Gentil, nous allons t'aider !

Ayè-è-èèèèè !

NOMS INDIENS

À sa naissance, un Indien reçoit son premier nom. Quand il accomplit sa première action courageuse, on lui attribue un nouveau nom. Mais, au cours de sa vie, ce nom pourra encore changer, selon les visions qu'il aura. En effet, pour les Indiens, les noms sont très importants : ils représentent celui qui les porte, et ils peuvent influencer son destin.

Bison-Qui-Souffle déclara solennellement :
– Mais nous allons changer ton nom. Dorénavant, tu ne t'appelleras plus Souris-Au-Cœur-Gentil, mais Souris-Qui-A-Tout-Oublié !
Je souris : en effet, ce nom m'allait comme un gant !

MES AFFAIRES SE TROUVAIENT DANS CETTE BOÎTE !

Coffret de cuir cru non tanné.
Ce type de cuir était appelé *parflèche*.
Ces boîtes légères et très résistantes contenaient des habits et de la nourriture durant les migrations.

LA MODE LAKOTA

Chacun, dans la tribu, se voit attribuer un rôle et a des tâches bien précises à effectuer : aussi porte-t-il des habits adaptés à ses fonctions. En voici quelques exemples.

La vie dans la Tribu Lakota

La tribu Lakota est une grande famille dans laquelle tous se considèrent comme des frères et partagent tout. Quand un Indien est pauvre, les autres l'aident en lui fournissant ce dont il a besoin. Si un Indien se comporte mal, on ne le met pas en prison, mais il est sermonné par les anciens et, s'il recommence, on l'éloigne de la tribu. Chaque tribu a un Wichasha Wakan, Celui-Qui-Connaît-Les-Choses-Sacrées, capable de guérir les maladies par des cérémonies, des chants sacrés et des médicaments à base de plantes. Les chefs sont au service de leur peuple.

À l'intérieur de la tribu, chacun a un rôle très précis : les uns comptent le passage des jours en faisant des encoches sur un bâton ; les autres annoncent les dernières nouvelles ; d'autres encore explorent les territoires environnants...

Les femmes cuisinent et construisent des tipis, les guerriers défendent la tribu, les anciens dispensent l'éducation lakota aux plus jeunes.

OKAHEY, C'EST BIEN !

Bison-Qui-Souffle annonça :

– Maintenant que Souris-Qui-A-Tout-Oublié va mieux, nous pouvons convoquer le CONSEIL !

J'hésitai :

– Euh, attendez une seconde...

Mais, déjà, tout le monde me poussait hors de mon *tipi*. Je traversai le village et me rendis compte que, tout autour de nous, le paysage était TRÈS ARIDE, comme s'il n'avait pas plu depuis longtemps.

L'herbe était jaune, le terrain sec, grillé par un soleil de plomb.

J'entrai dans une très grande tente tente tente réservée aux cérémonies : à l'intérieur m'attendaient sept vieux sages.

Avec précaution, le plus vieux sortit la **PIPE SACRÉE** d'une enveloppe de tissu rouge.

Il assembla le tuyau et le fourneau, qu'il remplit de *kinnikinnik*, un mélange d'herbes sacrées. Il tassa le mélange, l'alluma, puis souffla la fumée sacrée dans les quatre Directions. Il passa ensuite la Pipe à son voisin de gauche, et chacun tira une bouffée. Tous observaient un silence solennel.

CHANUNPA, LA PIPE SACRÉE

D'après la culture lakota, la Pipe Sacrée fut donnée par Whope, la Femme Bison Blanc. Elle est considérée comme un instrument de prière sacré. Durant la cérémonie de la Pipe, les Indiens s'assoient en cercle et fument, se passant la pipe de main en main dans le sens des aiguilles d'une montre.

Quand ce fut mon tour, je toussai et faillis m'étrangler : je n'ai jamais fumé une CIGARETTE de ma vie, et je ne commencerai jamais !
Mais, là, c'était différent : il s'agissait d'une CÉRÉMONIE SACRÉE, la plus sacrée pour les Lakotas, et je respectais leurs traditions.
L'un après l'autre, les sept sages dirent :
– Souris-Qui-A-Tout-Oublié…
– … voilà des mois et des mois qu'il ne PLEUT pas…
– … la SÉCHERESSE s'est établie dans la région…
– … le lac n'est plus très profond…
– … et soudain, hier, il s'est complètement asséché…
– … la tribu a SOIF…
– … que devons-nous faire ?
Je réfléchis longuement : je me sentais en paix après cette cérémonie solennelle au cours de laquelle chacun avait parlé avec son cœur et où nous nous étions sentis unis comme des frères.

SPIRITUALITÉ LAKOTA

Les Indiens croient que, au-delà de la réalité matérielle, il existe un **monde des Esprits**, et que ceux-ci manifestent leur présence et leur pouvoir dans la nature. Pour les Lakotas, le vent, les étoiles, le vol d'un oiseau ou même un brin d'herbe sont des manifestations de **Wakan Tanka**, (le « Grand Mystère »), l'esprit le plus élevé, le Créateur de toutes les choses.

C'est parce que tous les êtres vivants ont une même origine qu'ils sont tous reliés entre eux : *Mitàkuye Oyàsin*, c'est-à-dire *« Nous sommes tous parents »*, enseignent les sages de la tribu. Les Lakotas ont le sentiment de partager le monde avec les plantes, les animaux, les roches, et c'est pourquoi ils les respectent et les remercient dans leurs prières (par exemple, quand ils chassent un bison, ils le remercient pour son sacrifice qui permet à la tribu de survivre).

Les *Wichasha Wakan* (Hommes Sacrés) servent d'intermédiaires entre le monde des hommes et celui des

Esprits : ils peuvent « communiquer » avec les Esprits, les consulter et écouter leurs conseils qui se manifestent à travers des rêves ou des visions.

Chaque jour de leur vie, les Indiens célébrent des **rituels** particuliers. Les Lakotas ont **sept cérémonies sacrées** : *inipi* (hutte de purification), *wiwanyank wacipi* (danse du soleil), *hanbleceyapi* (recherche de la vision), *wanagi yuhapi* (garde de l'esprit), *hunkapi* (cérémonie de fraternisation), *isnata awicalowan* (cérémonie qui marque le passage d'une jeune fille à l'âge adulte), *tapa wanka yeyapi* (lancer de la balle). Pour célébrer les rites liés au passage des saisons et au mouvement des astres, on pense que les Indiens utilisaient les *Roues de médecine*, c'est-à-dire de gigantesques roues formées d'un anneau de pierre, dont partent d'innombrables rayons.

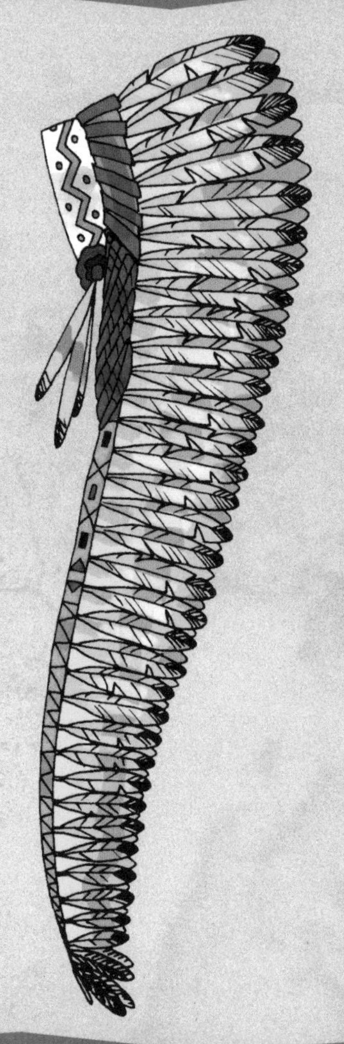

Au bout d'un long silence, je dis :
– Il est bizarre que le lac se soit asséché d'un coup. Nous allons remonter le cours du ruisseau qui apporte de l'eau à notre lac, jusqu'à la source, pour comprendre ce qui a pu se passer !
Les sept sages se REGARDÈRENT.
– *Okahey,* c'est bien. La tribu partira à l'aube.

Quand je sortis du Tipi des Cérémonies, tout le monde murmurait :

– Souris-Qui-A-Tout-Oublié est un BON CHEF pour notre tribu !

Cette nuit-là, je ne pus trouver le sommeil, car j'étais très inquiet.

J'étudiai longuement la carte du territoire, dessinée sur une peau de bison : j'espérais vraiment avoir pris la bonne décision.

Je n'étais pas un chef indien, j'étais un écrivain et je ne m'y connaissais pas du tout en sources et en ruisseaux. Et, surtout,

je ne connaissais rien aux coutumes indiennes !

Je savais seulement que j'allais faire de mon mieux : ces rongeurs avaient confiance en moi.

En voyage avec la tribu

Nous partîmes le lendemain matin…

Les femmes de la tribu démontèrent les tentes et les chargèrent sur les *travois*, des TRAÎNEAUX de bois que tiraient les chevaux.

Heureusement, chacun savait exactement ce qu'il avait à faire, parce que, moi…

je ne connaissais rien aux coutumes indiennes

On amena mon cheval, qui frotta son museau contre mon épaule en signe de salut.

– Voici Court-Comme-Le-Vent.

Soudain, une idée me traversa l'esprit : *par mille mimolettes*, je ne sais pas monter à cheval ! Mais,

comme toute la tribu me regardait fixement, je fis comme si de rien n'était, contournai le cheval, pris mon élan et… sautai sur le cheval à L'ENVERS !

Le cheval hennit en secouant la crinière, en signe de désapprobation, et je me dis, rouge de confusion : pourquoi suis-je aussi empoté ?

Quelle honte !

L'éclaireur de la tribu, un rongeur GRAND et GROS, aux muscles d'acier et dont le visage semblait sculpté dans le bronze, s'approcha de moi et dit :

– Tu as vraiment tout oublié ! Mais ne t'inquiète pas, dorénavant, je reste près de toi, je ne te quitte pas d'un pas, je suis comme ton OMBRE. Tu verras, je ne permettrai pas que tu te ridiculises encore, parole de Souris-qui-Saute-dans-l'Herbe.

Je le remerciai, mais je n'étais pas du tout tranquille. Au contraire ! Sous son **REGARD**, j'avais l'impression d'être encore plus empoté. Finalement, avec son aide, je parvins à me retourner dans le bon sens et toute la tribu se mit en marche. Un soleil de plomb me **rôtissait** le crâne, mais tout se passa bien… en tout cas jusqu'à la première halte. Quand je descendis de cheval, en

effet, je commençai à chanceler : je n'avais pas l'habitude d'être à cheval et j'avais mal à l'arrière-train, si bien que je perdis l'équilibre, trébuchai sur un caillou et... de sous le caillou sortit un scorpion !

Souris-Qui-Saute-Dans-L'Herbe me souleva dans les airs et hurla :

– Ne jamais retourner un caillou ! On risque de faire de mauvaises rencontres !

Je me dis :

– Pourquoi suis-je aussi empoté ?

Quelle honte !

Je tâchai de me donner une contenance et décidai que, cette fois, je monterais à cheval du bon côté : je contournai donc le cheval et... pris un coup de sabot sur le museau ! Je fis un vol plané de trois mètres, atterris sur des CACTUS et me retrouvai avec l'arrière-train plein d'épines. Quelle douleur ! Il fallut me les enlever une à une. Je me dis :

– Pourquoi suis-je aussi empoté ?

Quelle honte !

1re HONTE
JE NE SAIS PAS MONTER À CHEVAL ! JE PRIS MON ÉLAN, SAUTAI DU MAUVAIS CÔTÉ ET...
Prêt... partez !

2e HONTE
QUAND JE DESCENDIS DE CHEVAL... J'AVAIS MAL À L'ARRIÈRE-TRAIN !
Ouille ouille !

3e HONTE
J'ALLAIS MONTER À CHEVAL, QUAND JE PRIS UN COUP DE SABOT SUR LE MUSEAU !
Ouille !

JE RETOMBAI À L'ENVERS SUR LA CROUPE !
Oh Oh...
Mais !
Au secouuuuurs !
JE TRÉBUCHAI SUR UN CAILLOU...
Quelle frousse !
...SOUS LEQUEL SE CACHAIT UN SCORPION !
Nooon !
JE FIS UN VOL PLANÉ ET ATTERRIS SUR DES CACTUS !
Ça fait mal !
JE ME RETROUVAI AVEC L'ARRIÈRE-TRAIN PLEIN D'ÉPINES !

UN BON CHEF POUR CETTE TRIBU !

Le voyage dura des JOURS et des JOURS. Heureusement, je ne me ridiculisai pas davantage, mais c'est en grande partie parce que Souris-Qui-Saute-Dans-L'Herbe ne me quitta pas des yeux.
Hélas, l'eau et la NOURRITURE commencèrent à manquer.
Je pris donc la décision de les rationner, c'est-à-dire de limiter la distribution pour faire durer les provisions plus longtemps.
Cette fois, Souris-Qui-Saute-Dans-L'Herbe me regarda d'un air approbateur.
Je me rappelai les paroles d'un grand chef indien : **TAUREAU ASSIS**.

« Un bon Chef est toujours
le dernier à manger et à boire.
Un bon Chef est toujours le plus
pauvre, parce qu'il donne aux
autres tout ce dont ils ont besoin.
Un bon Chef est toujours au
service de son Peuple ! »

C'est pourquoi, quand vint mon tour de me restaurer, je refusai les trois galettes de maïs et les cinq gorgées d'eau auxquelles j'avais droit et les donnai à une jeune souris qui allait à pied, transportant avec difficulté un BERCEAU sur le dos.

Elle était épuisée. Aussi, quand nous nous remîmes en chemin, je lui laissai mon cheval :

– Tu en as plus besoin que moi.

Elle me remercia, émue.

– Merci pour ta générosité ! Le voyage est long et le berceau est lourd. Je n'y serais jamais arrivée sans ton aide. Tu es vraiment un bon chef !

Alors tout le monde murmura d'une seule voix :

– Souris-Qui-A-Tout-Oublié est vraiment un

pour notre tribu !

– Oui, il l'a toujours été ! confirma fièrement Lueur-Rose-De-L'Aube.

Souris-Qui-Saute-Dans-L'Herbe, lui aussi, dit :

– *Washtè*, bien. Je vois que, les choses les plus importantes, tu ne les as pas **oubliées**. Mais, à présent, il faut nous remettre en chemin, la route est encore longue et le soleil va bientôt se coucher.

Sept jours plus tard, nous arrivâmes dans la Vallée du Couchant Doré. Nous fûmes éblouis par le scintillement du Lac Turquoise : on aurait dit une pierre précieuse enchâssée entre les hautes montagnes.
Tout le monde se précipita vers le lac, en poussant des cris de joie :
– *Mini*, de l'eau !
Cependant, j'avais tout de suite remarqué que le lac était entouré par un enclos de pieux en bois de saule.
POURQUOI CELA ?
Brusquement, une troupe de guerriers menaçants jaillit de derrière un buisson : ils brandissaient des lances et avaient le museau peint aux couleurs de la guerre.
Même leurs chevaux étaient PEINTS.
Leur chef sortit de derrière un arbre et cria :
– En arrière ! Ne touchez pas le lac ! L'eau est à nous !
Je fis un pas en avant.

– Mon nom est Souris-Qui-A-Tout-Oublié. Pourquoi ne pouvons-nous pas boire ? Nous aussi, nous sommes lakotas ! Nous avons soif et nous avons effectué un long voyage pour arriver ici, parce que notre lac s'est brusquement ASSÉCHÉ.

Il encocha une flèche sur la corde de son arc.

– Mon nom est RAT-À-L'ESPRIT-RUSÉ. Je suis le chef de cette tribu. Que vous ayez soif, que vous ayez fait un long voyage, que votre lac soit asséché, je m'en moque. L'eau est pour nous ! Allez-vous-en !

J'insistai :

– Parlons en paix, je t'en prie. Nos tribus peuvent devenir amies et, ensemble, nous serons plus **FORTS** contre les ennemis. Cette eau devrait suf-

fire pour nous tous, je t'en prie, partage-la avec nous !

Il planta sa lance dans la terre d'un geste de COLÈRE.

– Non, nous ne voulons la partager avec personne ! Et maintenant allez-vous-en !

Les guerriers de notre tribu saisirent leurs arcs, prêts à combattre, mais je leur fis signe de s'arrêter.

La guerre ne résout jamais rien, il vaut mieux trouver une solution pacifique !

COULEURS

Pour effrayer leurs ennemis, les Indiens se peignent le visage de diverses couleurs. Quand ils tuent un ennemi, ils se dessinent un rond noir autour de la bouche, ou ils se peignent tout le visage en noir. Avant la cérémonie funèbre, on peint le visage des morts en rouge.

RUSÉS COMME DES RENARDS…

Nous redescendîmes dans la vallée et je tins conseil avec toute la tribu.

– Nous devons comprendre pourquoi notre lac s'est asséché soudainement. Il y a quelque chose de bizarre dans tout cela !

Je leur exposai mon plan SECRET, en dessinant sur une peau de bison avec un bâtonnet TREMPÉ dans du jus de myrtille.

– Voici mon plan : le sentier qui conduit au lac est surveillé par les sentinelles de l'autre tribu. Mais je vais ÉCHAPPER à leur surveillance en contournant le lac par la montagne !

Lueur-Rose-De-L'Aube se proposa comme volontaire pour l'expédition :

– S'il faut nager, je suis la meilleure NAGEUSE de la tribu !

Je souris.

– Merci, sœur. Je compte sur toi !

Souris-Qui-Saute-Dans-L'Herbe vint aussi avec nous :

– Nous partirons cette nuit. S'il vous plaît, Chef, il nous faudra être **RUSÉS** comme des renards, **silencieux** comme des serpents, **AGILES** comme des loups, **RAPIDES** comme des faucons, **FORTS** comme des ours, ***invisibles*** comme des chauves-souris !

Je soupirai :

– Euh, je ferai de mon mieux…

– Pour communiquer entre nous, nous imiterons le chant du COUCOU.

Je ne savais *ab-so-lu-ment* pas imiter le chant du coucou, et je dus apprendre en répétant pendant des heures.

Pourquoi suis-je aussi empoté ?

Quelle honte !

Enfin, nous partîmes au cœur de la nuit.

Nous longeâmes le sentier en direction du nord, en nous cachant dans les buissons.

Mais Souris-Qui-Saute-Dans-L'Herbe ne cessait de me gronder.

– Chef, tu laisses trop de traces ! Et tu fais trop de bruit !

Pourquoi suis-je aussi empoté ?

Quelle honte !

Alors, avec une infinie patience, il m'enseigna les trucs pour explorer la forêt…

LES LAKOTAS ET LA NATURE

Les Lakotas nous apprennent à aimer la nature. Un bon éclaireur ne doit jamais perturber l'équilibre de son environnement, mais doit apprendre à respecter et à protéger les êtres vivants, à les connaître et à les observer.

Le bon éclaireur...

- Porte des habits de couleur neutre et retire tout ce qui peut briller.
- Ne dérange pas les animaux, mais les observe à distance.
- Sait marcher sans faire de bruit, sans se hâter, sans trébucher contre les racines, sans faire craquer les brindilles.
- N'allume pas de feu.
- Ne laisse pas de détritus derrière lui.

Quand il veut qu'on perde ses traces...

- Il traîne des branchages derrière lui pour effacer ses empreintes.
- Il marche dans le cours d'un ruisseau, essaie de le remonter ou de le redescendre.
- Il essaie de marcher sur les pierres plutôt que sur la terre, sur la boue ou sur la neige.
- Il va en marche arrière, posant les pieds dans les empreintes qu'il a laissées à l'aller.
- Il fait attention à ne pas casser de branches sur son passage.

ATTENTION AUX EMPREINTES !

Un bon éclaireur doit savoir observer le milieu dans lequel il évolue. Il sait regarder le terrain avec attention, pour déceler les traces des animaux dont c'est le territoire. Voici comment en reconnaître quelques-unes...

LÉGER COMME WANBLI...

Nous nous dirigeâmes vers la base de la montagne et commençâmes une difficile marche pour la contourner. Nous marchâmes pendant des jours et des jours, jusqu'à ce que, de l'autre côté de la montagne, nous trouvions enfin le sentier qui conduisait au lac. De ce côté, la tribu de Rat-À-L'Esprit-Rusé ne pouvait pas nous voir.
Le sentier était de plus en plus raide si bien qu'il fallut escalader les parois rocheuses de la montagne.
J'étais suspendu dans le vide, accroché à un rocher... mes moustaches vibraient tant j'avais peur. Je n'osais pas regarder en bas... car je suis sujet au VERTIGE !

Souris-Qui-Saute-Dans-L'Herbe me disait :
– Imagine que tu es léger comme *wanbli*, l'**AIGLE** !

Lueur-Rose-De-L'Aube essayait de m'encourager :
– Frère, imagine que tu es agile comme *iktomi*, L'ARAIGNÉE !

Quand, enfin, je parvins au sommet, le soleil était en train de se coucher. En contrebas s'étendait le lac. Un fleuve s'y jetait, tombant en cascade bouillonnante du haut d'un rocher.

Nous décidâmes que nous repartirions à l'aube et que nous atteindrions le lac en suivant un long COULOIR rocheux.

Mais, le lendemain matin, en descendant au fleuve pour me laver, je dérapai sur la rive boueuse. Je hurlai :

– AU SECOUUUUUUUUUUURS !

Je tombai à l'eau et, quand j'émergeai, j'essayai de regagner la rive, mais un courant très rapide m'entraînait vers la cascade.
Lueur-Rose-De-L'Aube et Souris-Qui-Saute-Dans-L'Herbe essayèrent de me venir en aide : ils sautèrent à cheval sur un **TRONC** d'arbre et me suivirent, mais, à leur tour, ils furent entraînés vers la cascade.

Nous tombâmes dans une effroyable chute sans fin.

Au moment où je touchai l'eau, je pris ma respiration. Le courant formait de redoutables **TOURBILLONS**, qui m'entraînèrent vers le fond.

Je pensai :

– Je vais me noyer !!!

Une PATTE m'attrapa.

Lueur-Rose-De-L'Aube me ramena à la surface.

– Merci, tu m'as sauvé la vie ! balbutiai-je.

Elle sauva aussi Souris-Qui-Saute-Dans-L'Herbe, puis elle me dit, tout essoufflée :

– J'ai vu une chose bizarre, sous l'eau : au fond du lac, il y avait un TROU bouché par un pieu.

Je replongeai avec elle et c'est alors, seulement, que je compris tout…

Les Indiens de l'autre tribu avaient planté de gros pieux sur la rive du lac, pour y faire sécher le POISSON. Mais l'un de ces pieux avait bouché le trou par lequel l'eau s'échappait vers la rivière qui alimentait notre lac.

Nous nous agrippâmes tous deux au pieu pour l'arracher du fond. Le trou se rouvrit, et l'eau s'y engouffra avec une telle force que je faillis être aspiré.

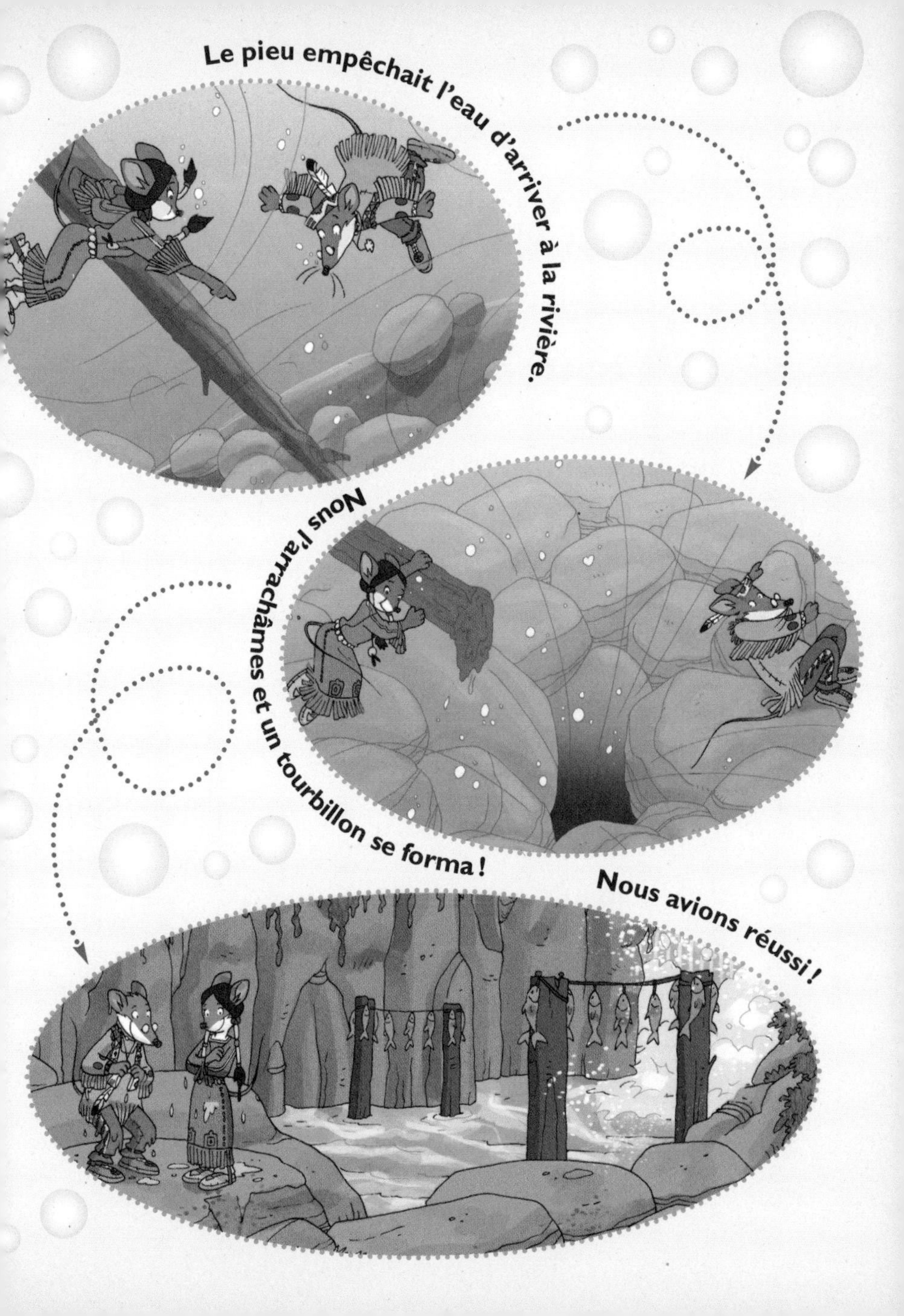
Le pieu empêchait l'eau d'arriver à la rivière.
Nous l'arrachâmes et un tourbillon se forma !
Nous avions réussi !

AUJOURD'HUI EST UN BEAU JOUR POUR FAIRE LA PAIX !

Sur ces entrefaites arriva un groupe de GUERRIERS qui montaient de la vallée sous la conduite de Rat-À-L'Esprit-Rusé.

Ils avaient vu qu'un filet d'eau s'était remis à couler vers le lac de notre tribu.

Rat-À-L'Esprit-Rusé était SURPRIS.

Il s'écria :

– Comment se fait-il que l'eau coule dans le ruisseau qui alimente votre lac ? Je n'y comprends rien du tout !

Je lui montrai le pieu de bois qui FLOTTAIT sur les eaux turquoise.

– C'est ce pieu planté au bord du lac qui avait bouché le trou souterrain à travers lequel l'eau s'écoulait pour aller remplir notre lac. Il cria :

– Mais nous ne le savions pas ! Nous ne l'avons pas fait exprès !

Je souris.

– Je le sais.

Rat-À-L'Esprit-Rusé se souvint des paroles que le fier CHEVAL FOU disait avant une bataille : « AUJOURD'HUI EST UN BEAU JOUR POUR COMBATTRE AVEC COURAGE. »

Je réfléchis : j'étais d'accord avec Cheval Fou. Dans tous les moments de sa vie, il faut se montrer **courageux**.

Mais il est une qualité plus importante : c'est savoir reconnaître la valeur de la paix...

Je levai la main droite en signe de paix et dis :

– Aujourd'hui est un beau jour pour faire la paix ! Nous sommes tous parents, parce que nous vivons tous sous le même soleil, sur la même **TERRE**, et que nous respirons le même *air*... et que nous désirons tous la paix, parce qu'une tribu ne peut prospérer que dans la paix.

Rat-À-L'Esprit-Rusé sourit à son tour.

Il leva la main droite et dit :

– *Wowahwa*, paix !

MITÀKUYE OYÀSIN, NOUS SOMMES TOUS PARENTS !

Les deux tribus, encouragées par notre exemple, échangèrent un très beau salut lakota :

– *Mitàkuye Oyàsin,* c'est-à-dire : « NOUS SOMMES TOUS PARENTS » !

– Nous partagerons cette eau précieuse, don du CIEL, jusqu'à ce qu'il recommence à pleuvoir !

Lueur-Rose-De-L'Aube leva le regard vers le ciel et murmura :

– La pluie... seul le Grand Mystère sait quand il recommencera à pleuvoir.

Les jours s'écoulèrent.

Rat-À-L'Esprit-Rusé et moi devînmes de **GRANDS AMIS**.

Nous passions de longues heures à bavarder, le soir, devant le **FEU DE CAMP**.

Il me demanda, étonné :

– Tu es vraiment convaincu de vivre sur une île lointaine, parmi d'autres gens, sous un autre nom ?

Je soupirai :

– *Avant* je croyais que ma vraie vie était sur l'Île des Souris, où je m'appelais Geronimo Stilton. Mais, *maintenant*...

Je me souvins avec respect des paroles de NUAGE ROUGE : « JE SUIS NÉ LAKOTA, J'AI VÉCU EN LAKOTA ET JE MOURRAI LAKOTA. »

Je murmurai :

Désormais, je me sens Lakota, c'est comme si je vivais ici depuis toujours et j'aime cette vie SIMPLE, ces valeurs qui comptent vraiment : l'amitié, l'honnêteté, la sincérité, la solidarité, le respect des anciens, l'amour pour la nature et pour toutes les créatures qui la peuplent...

LA SAGESSE DE LUEUR-ROSE-DE-L'AUBE

Une semaine plus tard, un matin, ma sœur me murmura à l'oreille :

– Souris-Qui-A-Tout-Oublié, j'ai quelque chose d'important à te dire !

J'étais attentif : Lueur-Rose-De-L'Aube avait toujours de bonnes idées !

Elle me confia :

– Cette nuit, j'ai rêvé que nous devions tous ensemble danser la Danse de la Pluie, pour appeler les nuages. C'est une tradition lakota ancienne et sacrée !

Je courus aussitôt voir Bison-Qui-Souffle et Cerf-Rouge, les chamans des deux tribus.

Ils étaient d'accord :

– *Washté*, bien !

Nous sommes prêts !

Les deux tribus se purifièrent dans la Hutte de Sudation, pour être dignes de participer à cette Cérémonie Sacrée.

Inipi

La hutte de sudation

Il s'agit de l'un des plus anciens rites lakotas, qui est effectué avant toute cérémonie. La purification spirituelle et physique se déroulait dans une hutte, inipi, en forme de coupole où l'on devait transpirer. À l'intérieur, on disposait des pierres incandescentes, sur lesquelles on versait de l'eau pour dégager de la vapeur. On se purifiait ainsi, tout en chantant et en invoquant les Esprits.

Après quoi, tout le monde, garçons et filles, jeunes et vieux, petits et grands, nous commençâmes à danser la DANSE DE LA PLUIE. Tous les tambours résonnaient ensemble, et c'était comme si tous nos cœurs avaient BATTU à l'unisson, sur un rythme d'amour et d'harmonie.

Nous avons dansé pendant des heures.

Peu à peu, les vieillards et les rongeurs les plus jeunes abandonnèrent. Mais les plus forts continuèrent à DANSER, pendant que les autres les encourageaient en leur apportant de la nourriture et de l'eau, et en CHANTANT pour leur donner de la force.
Moi aussi, je continuais à danser et j'avais perdu la notion du temps.
Combien de jours s'étaient écoulés ?
Une...
deux...
trois fois...
le soleil s'était levé et couché.
Dans le FROID de la nuit, dans la CHALEUR de la journée, mes pieds continuaient de danser, suivant le rythme HYPNOTIQUE des tambours. Nous n'étions plus que quelques-uns à danser, les uns et les autres tombaient à terre, épuisés. Mais, à l'aube du quatrième jour…

Mais, à l'aube du quatrième jour
il se passa quelque chose :
quelque chose de mystérieux...
Quelque chose qui était

Wakan, c'est-à-dire
quelque chose qui était
sacré !

Dans cette aube mystérieuse se livrait le combat de l'Ombre et de la Lumière : ce n'était plus la nuit, mais pas encore le jour.
Soudain, un effroyable roulement de tonnerre fit trembler la terre et un éclair venant de l'ouest se planta au milieu du cercle formé par les danseurs.
Bison-Qui-Souffle murmura avec respect :
– Voici le puissant *Wakinyan*, l'OISEAU TONNERRE !
Tout le monde s'écria :
– Honneur à *Wakinyan* !
Moi aussi, je murmurai, plein de respect :
– Honneur à *Wakinyan* !

WAKINYAN !

Je sentis quelque chose d'humide couler sur ma joue : c'était une larme d'*émotion*.
Mais à peine l'éclair avait-il touché terre que le ciel se remplit de nuages **sombres**, qui s'ouvrirent, tels d'énormes rideaux, versant sur nous un torrent de fraîche

PLUIE

Les gouttes coulaient sur nous, emportant la fatigue et la tristesse, nous remplissant de vie et d'espoir.

WAKINYAN

Dans la culture lakota, Wakan Tanka, le Grand Mystère, est celui qui a créé le monde avec un amour infini. Il se manifeste de bien des manières, et par exemple à travers Wakinyan, l'Oiseau Tonnerre, qui applique la Justice Divine en punissant les méchants et en défendant les bons. Celui qui rêve à Wakinyan devient un heyoka : dans les cérémonies sacrées, il doit faire le contraire des autres.

Enfin, ce serait la paix entre tous, et surtout il y aurait de l'eau pour chacun.
Tous ensemble, nous explosâmes de joie :
– *Ayè-è-èèè !*

TATANKA !

C'est alors que nous entendîmes la terre trembler. Souris-Qui-Saute-Dans-L'Herbe et Lueur-Rose-De-L'Aube crièrent :

– *Tatanka !* LES BISONS !

Tout le monde s'exclama :

– TATANKA !

– TATANKA !

– TATANKA !

À l'horizon, je distinguai une foule de bosses sombres qui se dirigeaient vers nous.

Un TROUPEAU s'approchait. Les bisons revenaient, parce que la pluie était de retour. Les prés allaient reverdir, l'herbe tendre dont ils se nourrissaient allait pousser !

Pour célébrer le retour de la pluie, une grande FÊTE fut organisée.

On prépara un tas de bonnes choses !

Potages de légumes, savoureux ragoûts, rôtis cuits sous la cendre, galettes de maïs tartinées de confitures délicieuses, sirops de fruit.

Tout le monde s'assit en cercle autour du FEU. Tandis que les femmes servaient la nourriture dans des écuelles en bois, Bison-Qui-Souffle annonça solennellement :

– Nous t'avons trouvé un nouveau nom : SOURIS-QUI-A-FAIT-REVENIR-LA-PAIX-ET-LES-BISONS !

BISON – TATANKA

Pour les tribus des Grandes Plaines, les bisons sont très précieux, car tout en est utilisable : la viande pour la nourriture, la peau pour confectionner des vêtements, des boucliers et des tentes, les tendons comme fils et cordes pour les arcs, les cornes pour réaliser des ustensiles de cuisine et des objets variés. Même les os sont utilisés pour fabriquer les armes.

J'étais ravi : quel beau nom !

Tout le monde dansait de joie, tandis que les tambours battaient en rythme :

– Toum-tou-toum ! Toum-tou-toummm ! Toum-tou-toum !

Mais soudain... Pendant que je dansais, j'entendis une voix qui criait :

– Geronimoooooooo ! Réveille-toiiiiiiiiiiiiiiiiiiiii...

Toc toc toc !

Je me réveillai en sursaut.
Je balbutiai :
– Les... les tambours ! Le feu de camp ! La danse !
C'était un bruit contre la porte qui m'avait réveillé.

TOC TOC TOC !
TOC TOC TOC !
TOC TOC TOC !

Quelqu'un toquait à la porte.
Qui cela pouvait-il bien être ?
J'allai ouvrir, tout ensommeillé.
C'était Patty Spring ! Elle eut l'air surpris.
– Geronimo, réveille-toi, c'est le matin ! Pourquoi portes-tu encore ce costume d'INDIEN ?

Je bredouillai :

– Euh, tu sais, cette nuit… j'ai fait un long rêve très bizarre… j'ai rêvé que j'étais devenu le chef d'une tribu lakota…

Elle rit : – Voilà un rêve original !

Ah, Geronimo, tu me surprendras toujours ! C'est pour ça que je t'adore !

Je demandai timidement :

– Vraiment, tu m'adores ?

– Mais bien sûr ! J'adore être avec toi et faire des choses avec toi ! C'est d'ailleurs pour cela que je suis venue : te proposer de participer avec mes amis à un « CAMP INDIEN ». Nous dormirons dans un tipi et, le soir, nous nous réunirons autour d'un feu de camp, pour nous raconter des LÉGENDES INDIENNES.

Je m'écriai, fou de joie :

– Ce sera un merveilleux moyen de se retrouver en contact avec la nature… **ensemble** !

Le lendemain, dès l'aube, nous partîmes à quatre : Patty, sa nièce Pandora, mon neveu Benjamin et moi.
Nous nous amusâmes beaucoup : dans le camp indien, chacun était vêtu comme à l'époque indienne, il n'y avait ni l'électricité ni l'eau courante, mais tout cela rendait l'expérience encore plus excitante !

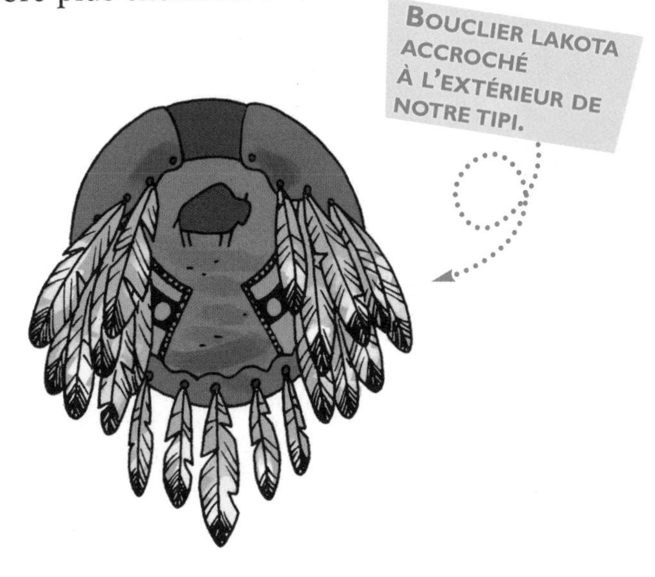

EN PAIX AVEC LE MONDE

Bien des mois se sont écoulés depuis que je suis entré pour la première fois dans cette boutique étrange et *fascinante* où le temps semble suspendu et où l'on entend les échos d'une culture très ancienne, mais qui a encore beaucoup à nous apprendre.
Désormais, Ourson, Lueur et Éclat sont devenus de bons amis et, chaque fois que je vais les voir, j'ai l'impression de rentrer chez moi.
J'adore lire des livres sur la culture des NATIFS AMÉRICAINS, parce qu'ils parlent de valeurs que je partage. Et, dans mon armoire, à côté des élégants costumes que je porte pour mon travail, j'ai maintenant plein de pulls avec le des-

sin d'une tête de **LOUP**, mon animal totem. Et puis, pour mon temps libre, quand je veux me sentir à l'aise, bien à l'aise, vraiment à l'aise, je chausse de confortables mocassins indiens.

J'ai appris à laisser entrer la nature dans ma vie, à apprécier les nuits dans la tente et sous la lune avec Patty, Benjamin et Pandora.

Et quand nous nous racontons de vieilles légendes indiennes devant le feu de camp, je me sens…

…en paix avec moi-même,

en paix avec la nature,

en paix avec le monde !

BIENVENUE
DANS LA TRIBU !

EN CAMPING AVEC TES AMIS !

Une expérience unique à partager avec tes amis. Naturellement, vous serez accompagnés par un adulte qui, comme Geronimo, saura vous donner les bons conseils pour former une véritable tribu !

L'ÉQUIPEMENT

En plus du linge, des chaussures, d'un poncho pour la pluie, mets dans ton sac à dos : une petite trousse de secours, une torche électrique, un sac de couchage, une gourde, de la corde et des vivres.

LE CAMPEMENT

Choisis avec tes amis l'endroit le mieux adapté pour installer le camp et assure-toi que le camping libre y est autorisé. Évite les sous-bois et choisis plutôt un endroit découvert, comme une clairière herbeuse ; évite aussi les terrains en pente ou les zones humides. Puis, avec tes amis, dispose les tentes en cercle.

QUI CUISINE AUJOURD'HUI ?

Une fois que tu auras trouvé l'endroit parfait, installe la cuisine du campement.

Construis un PETIT GARDE-MANGER avec des planches (faites en assemblant des branches) reliées par des cordes et recouvertes d'une moustiquaire, pour empêcher les insectes d'entrer. L'idéal serait de l'accrocher à une branche d'arbre, pour éviter que les chiens ou d'autres animaux n'aillent se servir.

Fabrique aussi un PORTE-GOURDE. Prends trois branches, attache-les entre elles de manière à former un trépied. Maintenant, tu peux accrocher la gourde avec une corde, en haut du trépied. Ainsi, elle restera en l'air.

ET MAINTENANT L'AVENTURE COMMENCE !

Organise-toi aussi une fête avec tes amis ! Improvise des tambours en tapant avec une louche sur le fond d'une casserole retournée, puis inventez une danse pour fêter votre aventure !

TON NOM INDIEN

Laisse tes compagnons d'aventure choisir le nom qui te convient le mieux, comme faisaient les Indiens. Cela peut être celui de l'animal totem que tu préfères (choisis-le page 26) ou il peut s'inspirer d'un acte important que tu as accompli, ou d'une particularité de ton caractère.

CONSTRUIS TON AMULETTE

Choisis ton animal totem (voir page 26), dessine-le sur du carton, découpe-le et crée ainsi un pendentif que tu accrocheras au bout d'une corde. Ce sera ton amulette, un porte-bonheur qui te protégera !

ATTRAPE LE BANDANA !

Voici un jeu dynamique et amusant auquel jouer avec tes amis.

CE QU'IL TE FAUT : un élastique, un bandana.

TERRAIN DE JEU : un terrain carré de 5 mètres de côté, à l'intérieur duquel s'affrontent 2 joueurs, les autres restant en dehors du terrain.

COMMENT JOUER : Chaque joueur met un élastique autour de son bras gauche et y glisse un bandana, sans l'attacher. Les joueurs se partagent en deux équipes ; chacune se met en rang en dehors du terrain de jeu ; puis un numéro est attribué à chaque joueur.
Quand l'arbitre appelle un numéro, les deux joueurs qui ont ce numéro entrent sur le terrain et chacun essaie d'attraper le bandana de l'autre. Le premier qui réussit gagne un point pour son équipe. Pour arracher le bandana, les joueurs ne peuvent utiliser que la main droite, la gauche devant rester appuyée contre le corps. L'équipe gagnante est celle qui a remporté le plus de points.

TABLE DES MATIÈRES

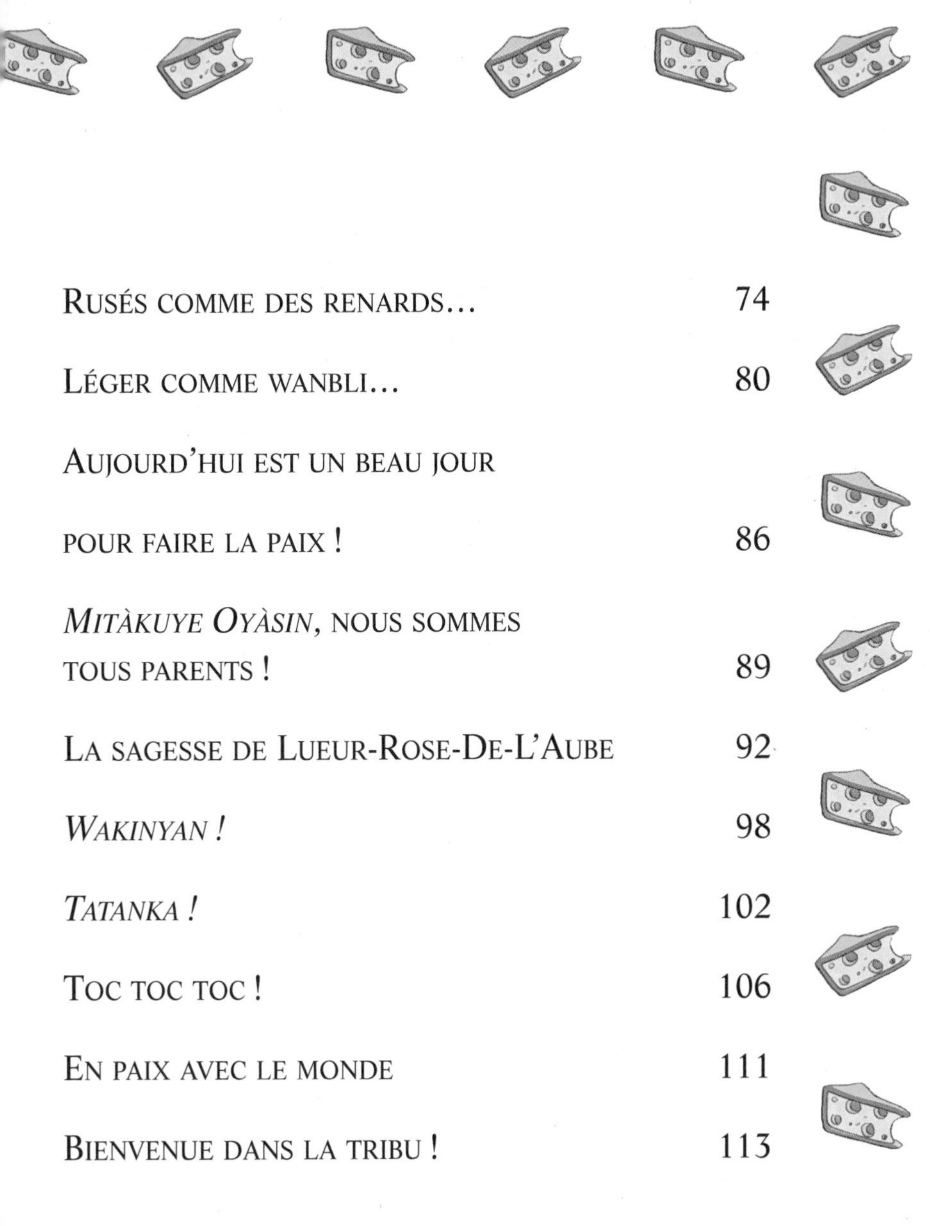

DANS LA MÊME COLLECTION

1. Le Sourire de Mona Sourisa
2. Le Galion des chats pirates
3. Un sorbet aux mouches pour monsieur le Comte
4. Le Mystérieux Manuscrit de Nostraratus
5. Un grand cappuccino pour Geronimo
6. Le Fantôme du métro
7. Mon nom est Stilton, Geronimo Stilton
8. Le Mystère de l'œil d'émeraude
9. Quatre Souris dans la Jungle-Noire
10. Bienvenue à Castel Radin
11. Bas les pattes, tête de reblochon !
12. L'amour, c'est comme le fromage...
13. Gare au yeti !
14. Le Mystère de la pyramide de fromage
15. Par mille mimolettes, j'ai gagné au Ratoloto !
16. Joyeux Noël, Stilton !
17. Le Secret de la famille Ténébrax
18. Un week-end d'enfer pour Geronimo
19. Le Mystère du trésor disparu
20. Drôles de vacances pour Geronimo !
21. Un camping-car jaune fromage
22. Le Château de Moustimiaou
23. Le Bal des Ténébrax
24. Le Marathon du siècle
25. Le Temple du Rubis de feu
26. Le Championnat du monde de blagues
27. Des vacances de rêve à la pension Bellerate
28. Champion de foot !
29. Le Mystérieux Voleur de fromage

30. Comment devenir une super souris en quatre jours et demi
31. Un vrai gentilrat ne pue pas !
32. Quatre Souris au Far West
33. Ouille, ouille, ouille... quelle trouille !
34. Le karaté, c'est pas pour les ratés !
35. L'Île au trésor fantôme
36. Attention les moustaches... Sourigon arrive !
37. Au secours, Patty Spring débarque !
38. La Vallée des squelettes géants
39. Opération sauvetage
40. Retour à Castel Radin
41. Enquête dans les égouts puants
42. Mot de passe : Tiramisu
43. Dur dur d'être une super souris !
44. Le Secret de la momie
45. Qui a volé le diamant géant ?
46. À l'école du fromage
47. Un Noël assourissant !
48. Le Kilimandjaro, c'est pas pour les zéros !
49. Panique au grand hôtel
50. Bizarres, bizarres, ces fromages !
51. Neige en juillet, moustaches gelées !
52. Camping aux chutes du Niagara
53. Agent secret Zéro Zéro K

- Hors-série
  Le Voyage dans le temps (tome I)
  Le Voyage dans le temps (tome II)
  Le Royaume de la Fantaisie
  Le Royaume du Bonheur
  Le Royaume de la Magie
  Le Royaume des Dragons
  Le Secret du courage
  Énigme aux jeux Olympiques

- **Téa Sisters**
  Le Code du dragon
  Le Mystère de la montagne rouge
  La Cité secrète
  Mystère à Paris
  Le Vaisseau fantôme
  New York New York !
  Le Trésor sous la glace
  Destination étoiles
  La Disparue du clan MacMouse
  Le Secret des marionnettes japonaises

- **Le Collège de Raxford**
  Téa Sisters contre Vanilla Girls
  Le Journal intime de Colette

L'ÉCHO DU RONGEUR

1. Entrée
2. Imprimerie (où l'on imprime les livres et le journal)
3. Administration
4. Rédaction (où travaillent les rédacteurs, les maquettistes et les illustrateurs)
5. Bureau de Geronimo Stilton
6. Piste d'atterrissage pour hélicoptère

1
9
4
2
8
18
3
32
13
11
12
10
19
46
45
Fleuve Souris
17
22
5
15
7
40
20
26
28
14
16
23
21
25
24
27
33
38
37
29
44
31
Plage
30
6
41
34
39
42
35
43

Sourisia, la ville des Souris

1. Zone industrielle de Sourisia
2. Usine de fromages
3. Aéroport
4. Télévision et radio
5. Marché aux fromages
6. Marché aux poissons
7. Hôtel de ville
8. Château de Snobinailles
9. Sept collines de Sourisia
10. Gare
11. Centre commercial
12. Cinéma
13. Gymnase
14. Salle de concerts
15. Place de la Pierre-qui-Chante
16. Théâtre Tortillon
17. Grand Hôtel
18. Hôpital
19. Jardin botanique
20. Bazar des Puces-qui-boitent
21. Maison de tante Toupie et de Benjamin
22. Musée d'Art moderne
23. Université et bibliothèque
24. La Gazette du rat
25. L'Écho du rongeur
26. Maison de Traquenard
27. Quartier de la mode
28. Restaurant du Fromage d'or
29. Centre pour la Protection de la mer et de l'environnement
30. Capitainerie du port
31. Stade
32. Terrain de golf
33. Piscine
34. Tennis
35. Parc d'attractions
36. Maison de Geronimo Stilton
37. Quartier des antiquaires
38. Librairie
39. Chantiers navals
40. Maison de Téa
41. Port
42. Phare
43. Statue de la Liberté
44. Bureau de Farfouin Scouit
45. Maison de Patty Spring
46. Maison de grand-père Honoré

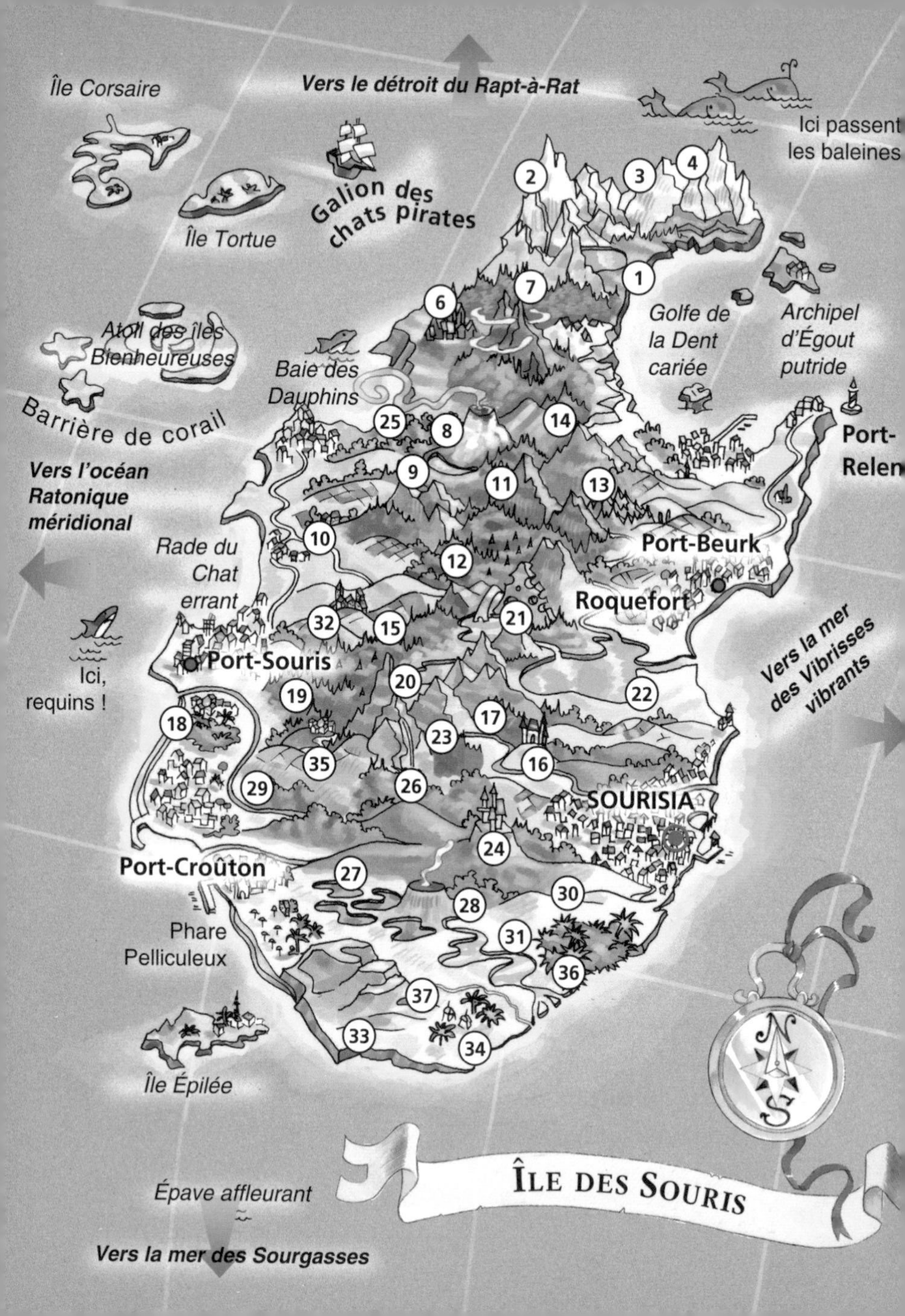

Île Corsaire
Vers le détroit du Rapt-à-Rat
Ici passent les baleines
Île Tortue
Galion des chats pirates
Atoll des îles Bienheureuses
Baie des Dauphins
Golfe de la Dent cariée
Archipel d'Égout putride
Barrière de corail
Port-Relen
Vers l'océan Ratonique méridional
Rade du Chat errant
Port-Beurk
Roquefort
Port-Souris
Ici, requins !
Vers la mer des Vibrisses vibrants
SOURISIA
Port-Croûton
Phare Pelliculeux
Île Épilée
Île des Souris
Épave affleurant
Vers la mer des Sourgasses
1 2 3 4 6 7 8 9 10 11 12 13 14 15 16 17 18 19 20 21 22 23 24 25 26 27 28 29 30 31 32 33 34 35 36 37
N S

Île des Souris

1. Grand Lac de glace
2. Pic de la Fourrure gelée
3. Pic du Tienvoiladéglaçons
4. Pic du Chteracontpacequilfaifroid
5. Sourikistan
6. Transourisie
7. Pic du Vampire
8. Volcan Souricifer
9. Lac de Soufre
10. Col du Chat Las
11. Pic du Putois
12. Forêt-Obscure
13. Vallée des Vampires vaniteux
14. Pic du Frisson
15. Col de la Ligne d'Ombre

16. Castel Radin
17. Parc national pour la défense de la nature
18. Las Ratayas Marinas
19. Forêt des Fossiles
20. Lac Lac
21. Lac Lac Lac
22. Lac Laclaclac
23. Roc Beaufort
24. Château de Moustimiaou
25. Vallée des Séquoias géants
26. Fontaine de Fondue
27. Marais sulfureux
28. Geyser
29. Vallée des Rats
30. Vallée Radégoûtante
31. Marais des Moustiques
32. Castel Comté
33. Désert du Souhara
34. Oasis du Chameau crachoteur
35. Pointe Cabochon
36. Jungle-Noire
37. Rio Mosquito

Au revoir, chers amis rongeurs, et à bientôt pour de nouvelles aventures.

Des aventures au poil, parole de Stilton, de...

Geronimo Stilton